U0065461

獻給一行禪師 —— 康娜莉雅・史貝蔓
獻給摯愛的派克 —— 凱西・帕金森

我會關心別人

文 康娜莉雅·史貝蔓　圖 凱西·帕金森　譯 蕭富元

親子天下 Education · Parenting Family Lifestyle

受傷的時候，有人關心我。

生病的時候，
有人關心我。

難過的時候，　有人安慰我，

讓我覺得好過一些。

我需要別人關心。

別人也需要我的關心。

別人受傷的時候，我也很難過。

別人生病的時候，我關心他。

別人傷心的時候，

我安慰他，讓他心情好一些。

我會關心別人。

別人跟我有一樣的感覺。

我不取笑別人，

因為我討厭別人取笑我。

我不推別人，

因為我不喜歡別人推我。

我對人很友善，

因為我喜歡別人也這樣對我。

別人和我分享時，那種感覺很不錯。

所以我也和別人分享。

我喜歡讚美別人，
因為得到別人讚美時，
我好快樂。

我努力幫助別人。

能夠幫助別人的感覺真好。

我能想像別人
的感覺，

我希望別人對我很好，

就像我對他們一樣。

我關心別人，別人也會關心我！

When I'm hurt, somebody cares.

Somebody cares when I'm sick.

When I'm sad, somebody
helps me feel better.
I need others to care about me.

Others need me, too.
When someone is hurt, I feel bad.

I care when someone is sick.

When someone is sad, I help him feel better.

I care about others!

Others have the same feelings I have.
I don't like to be teased, so I don't tease.
I don't push because I don't like to be pushed.

I am friendly because I like it when
someone is friendly to me.

When someone shares with me,
it feels good,

so I share, too.

I say nice things because I'm happy when someone says nice things to me.

I try to help others.
I feel glad when I can help.

I can imagine how others feel,

and I treat others the way I want them to treat me.

I care about others,
and others care about me!

作者介紹

康娜莉雅・史貝蔓（Cornelia Maude Spelman）

康娜莉雅・史貝蔓童書作品豐富，主題環繞著兒童的情緒和社會發展，透過故事，把情緒發展主題和孩子們實際的生活經驗相結合。老師和家長們對她的作品給予這樣的評價：「非常細膩、溫和、撫慰人心，而且充滿同情和同理心。」 康娜莉雅是家庭與兒童專業諮商師，曾任教於研究所，也針對兒童與家庭的心理健康議題做過數百場的演說。她的子女皆已成年，她則與丈夫住在伊利諾州。她不但從事圖畫書創作，還擔任反槍械婦女團體的義工。

幼兒情緒教育，從專業精采的繪本入門！

楊俐容 台灣芯福里情緒教育推廣協會理事長

「孩子不會表達情緒、動不動就大哭大鬧」一直都是幼兒家長和老師最頭痛的問題。事實上，孩子也不喜歡自己哭哭鬧鬧，然而，情緒感受是與生俱來、不需學習的反應，但負向情緒來襲時，要好好表達並且適當調節，卻得透過周遭大人溫暖的理解、有效的安撫以及有計畫的教導，才能慢慢發展出來。

從呱呱墮地那一刻起，孩子的生活就是由一連串的事件，以及這些事件所引發的情緒感受所組成。剛出生的寶寶情緒只能粗略的分為「愉快的」和「不愉快的」兩大類，隨著生活經驗的豐富，情緒也開始分化為更多類別。到了一歲半，寶寶已擁有相當豐富的情緒感受了，而學前階段的幼兒，隨著行動範圍與生活圈的擴大，情緒也越來越多變與複雜。譬如說，心愛的玩具壞了、小朋友不跟他玩，孩子自然會因失落而感到難過；又如，積木城堡一直蓋不好、玩得正開心遊戲時間卻要結束了，孩子又會因為目標受阻而覺得生氣。此外，害怕、擔心、忌妒，以及開心、舒服、得意……等愉快或不愉快的感受，也都是幼兒生活中常見的情緒。

情緒越來越多元是必然且可喜的發展趨勢，但要能了解自己與他人的情緒，進而掌握自己的情緒、與他人和善相處，卻需要刻意的教導與學習。因此，家長和老師必須幫助幼兒了解自己和別人的情緒感受是什麼，鼓勵幼兒適切的表達自己，以及適時的關懷別人。

幼兒階段是開始系統化學習情緒的最佳時期，孩子需要學會與生活經驗、情緒感受互相呼應的詞彙，讓語言跟上情緒的腳步，才能逐漸擁有覺察、辨識與為情緒命名的能力，也才能善用正向情緒、轉化負向情緒，將生活的多采多姿化為成長的養分。

不過，情緒無影無形、難以捉摸與界定，必須藉助具體的生活事件與生動的插畫圖像，以幼兒熟悉的故事模式來幫助他們理解當下的情緒感受與事件的來龍去脈。因此，具有理論基礎並能完整呈現情緒元素的精采繪本，就成為情緒教育的最佳媒介，這也是我要大力推薦「我的感覺」這套幼兒情緒教育入門書的原因。

作者選擇了幼兒生活中最常見的負向情緒：難過、害怕、生氣、嫉妒、擔心做為主題，並以幼兒能夠理解的淺語，說出幼兒不易覺察的情緒元素，包括身體線索、心理感受，以及引發這些情緒的生活事件等。讓幼兒在聆聽書中主角故事的同時產生情緒理解，知道原來別人也會這樣，有這些情緒是很正常的。而反覆出現的情緒詞彙，也讓幼兒逐漸熟悉並能運用這些詞彙來表達自己的情緒；一旦幼兒能夠使用語言來表達情緒，他們就擁有了一項效能強大的工具，可以和別人溝通彼此的情緒。

當幼兒能夠自在接納情緒感受並學會適切表達之後，作者又帶著幼兒與書中主角一起發現心裡有這些感受時，可以用什麼方法來調節情緒，讓自己覺得好受一點，甚至進一步探索解決問題的可能性。從理解情緒、管理情緒到解決問題，完整呈現情緒教育的三大步驟。

除了上述幾個基本的負向情緒，作者另外挑了三個幼兒生活中常見的人際情緒課題，包括處理分離焦慮的《我想念你》、提升自信自尊的《喜歡我自己》，以及促進同理關懷的《我會關心別人》。的確，情緒不只發生在自我之內，也發生在人我之間；自我EQ是基礎，人際EQ則更進一步的促成孩子情緒成熟，讓孩子的人際關係更上層樓，也因此更能享受和其他小朋友一起遊戲學習的校園生活。所有這一切，都為幼兒未來進入小學的適應，奠定了堅實的情緒基礎。

情緒成熟需要時間的醞釀，但沒有耕耘就不會有收穫；「我的感覺」為家長和老師準備了豐富的素材，但要成為孩子的情緒滋養，還需要大人的參與和陪伴。關切幼兒情緒教育的大人，可以善用書中文字的力量、具象的插圖，以及隨書提供的情緒遊戲卡，和孩子一起玩情緒，讓您的幼兒情緒教育，從這套專業精采的繪本入門！

情緒的學習是一生的功課，趁早開始吧！

周育如 清華大學幼教系副教授

在幼兒發展的領域中，情緒發展是個很特別的領域，它雖然也有生理及遺傳的基礎，但較之身體、語言或認知發展，情緒能力隨著年齡與成熟而進展的情況「格外不明顯」，反而受環境與教養的影響非常大。

年幼的孩子如果未經教導，不如意時就發脾氣或揮拳打人是很常見的舉動，但這種情況長大了就會改善嗎？那可不一定，我們隨處可見許多人終其一生都沒有學會好好管理自己的情緒，年紀再大、學歷再高，無法好好處理自己情緒的一樣大有人在！

在台灣的教育中，多少年來，我們對孩子成功的重視遠遠超過對孩子幸福的關切，因此我們很少花時間教孩子怎麼跟自己相處，怎麼跟別人相處。長期下來，不只父母面對孩子的情緒問題時不知如何處理，甚至父母本身也因為沒受過情緒教育，對自己情緒的理解和處理能力也非常有限。結果在親職教育上，我們不只有處理不完的亂發脾氣的孩子，還要安撫及重新教導與孩子相互糾結、挫折又生氣的父母。

在這種情況下，「我的感覺」系列重新改版上市是格外有意義的一件事，這套書已累銷超過50萬冊，見證了父母帶著孩子學習情緒的珍貴歷程。這套書有很多值得推薦之處，包括每個主題都是孩子最常經歷的情緒、內容完整涵蓋了情緒辨識、情緒表達和情緒調節等主要成分，以及文學性、文字的溫暖度與畫面處理兼具等，原本就是很適合父母與孩子分享及討論情緒的上乘之作；除了優質的文本以外，還加上了應用的教案和情緒遊戲卡，顯然有意再多幫父母老師一點忙。

談情緒從共讀開始

在閱讀這套書時，大人剛開始可以如同一般的繪本與孩子進行共讀，先帶著孩子了解內容，看看故事人物是如何辨認、理解與調節自己的情緒；然後，大人可以仿故事結構所提供的情緒內涵，延伸討論孩子自己的經驗，例如共讀《我好難過》時，可以問問孩子有沒有難過的時候？在什麼情況下會難過？難過的感覺為何？以及難過時要怎麼做才會好過一點？ 接著，如果孩子對這些議題很有感觸或願意投入，還可以利用後面和教案的卡片和孩子玩一些情緒理解或敘說的遊戲，藉以增加孩子情緒語彙的質量、並提昇對情緒的敏銳度。

熟悉了這些內容和方法後，大人可以進一步混搭與應用。例如並不需要限於每本繪本的單一主題，而可以和孩子討論，在這些情緒中，他最常出現的是什麼情緒？很少經歷的又是什麼情緒？由於大人很容易把重點放在負面情緒的調節上，但除了教孩子處理負面情緒，許多時候更重要的其實是如何促進孩子正面的情緒，因此較全面的檢視是很有幫助的。此外，大人也可以從孩子平常的行為中去觀察，孩子發展得較好的是哪些方面？還需要再特別學習的是哪些方面？可以針對孩子特別需要補強的部分多一點的討論和練習。例如有的孩子還在學習用口語表達情緒，這時多一點情緒語彙的教導和情緒經驗敘說會很有幫助；有的孩子則是已經很會表達自己的情緒，但說完了卻仍很難接受安慰或自我調節，這時則可以多讓孩子想想情緒調節的方法，並透過角色扮演等方式來練習。

最後，這套書並不只適用於小小孩，而是在不同的年齡層可以有不同的應用。以情緒的調節策略為例，孩子很容易因為和父母分開而感到不安，但分離焦慮「可以被接受的表現」卻因年齡而異，當一個兩歲的孩子有分離焦慮時，我們可以接受並理解他的哭鬧和需要安撫；但如果一個六歲的孩子因為稍微和父母分開就大哭大鬧，可能會讓人難以接受。因此，孩子要學習的不只是自我情緒的覺察和表達，還需要理解社會的規則和期待，書中提供的內容只是例子，我們還可以和不同年齡的孩子討論，或許情緒感受本身都可以被接納，但當你遇到這樣的情況，什麼樣的表達對現在的你來說才是合適的？這種進一步的覺察和學習，對孩子長遠的發展來說將是更為重要的。

情緒的學習是一生的功課，越早開始，我們距離幸福人生就越近了一步。希望這套書成為大人和孩子一同探索情緒世界的美好開端！

衍伸討論

提升同理心

康娜莉雅・史貝蔓 本書作者

親子的延伸活動

一、幫助孩子說出心中的感受，和他們一起討論（「你看起來很不高興，可以告訴我你現在的感覺嗎？」）。

父母要先做榜樣，試著說出自己的感覺，（例如「我也覺得很難過」）並和孩子一起討論。

二、孩子在表達感覺時，要專心聽。別告訴他不該有這種感覺。（如果孩子生氣了，父母可以接受他生氣的感覺，但是制止他亂發脾氣。）

三、運用故事與書籍去了解他人的感覺。

（「這個角色有什麼感覺？你怎麼知道的？你有過這種感覺嗎？後來是什麼讓你好一點？你認為這個角色要怎樣才會感覺好過一些？」）

四、當孩子覺得害怕、難過、孤單或受傷的時候，幫助他回想實際生活的例子。鼓勵孩子回想那些別人安慰自己的方法。

五、告訴孩子，他可以用友善、傾聽、分享的態度，來表現他的關心，也可以請大人幫忙。

六、讓孩子藉著玩偶或是角色扮演，模擬他人在某種處境下可能的感受。
（「第一天上學感覺如何？別人搶了你位置的時候，你又有什麼感受？」）
告訴孩子，即使每個人都不同，我們都有相同的基本需求和感受。

七、展現出我們助人時所感受到的輕鬆與愉悅。
（「我很高興你的頭痛現在好一點了。」）

八、讓孩子想想日常生活中的例子，看看我們是如何回應別人的需求。（鄰居無法出門時，如果我們帶點生活用品去拜訪他，他會很高興。）

九、與孩子一起討論如何幫助社會上的其他人。
（「別人生病或飢餓時，我們該怎麼幫助？
在緊急狀況之下，我們該如何幫助每個人？」）
告訴孩子社會上各種關懷他人的管道，例如慈善團體、醫院、衣物捐贈中心等等。或者讓孩子去參觀這些地方，去看看救護車、消防車，並且和工作人員聊聊。

給父母和老師的叮嚀

關心他人是健康社會的基礎，反映出我們相信每個人都有自己的價值。關心別人也帶給我們滿足與快樂的感覺。

要孩子關心別人，先要讓他們感到被關心。當孩子的需求獲得認可、也得到滿足，他們會體認、並且願意滿足他人的需求。

如果孩子知道別人跟他們有同樣的感受，當別人受傷或有需要的時候，就會懂得善意回應。我們可以幫助孩子想像，在某種特殊狀況下，他們會有什麼感覺，再推己及人，想想別人會有什麼感覺。我們可以告訴孩子，既然不喜歡被人嘲笑，就不能嘲笑別人;不喜歡別人推他，就不能推別人。（若孩子嘲笑、欺負他人，或是態度不友善、行為粗暴，我們不能視若無睹，必須立即介入，清楚說明不允許這樣的行為。）

同樣的，孩子也可以理解，如果他喜歡別人友善相待，他也必須友善待人。孩子會學習到，想要別人接納他，他必須接納別人。

培養孩子的同情心要持之以恆，我們必須以身作則，表現同情的行為給孩子看。孩子看到父母或照護者關心家人以外的人，如鄰居、朋友與社會大眾時，無形中就養成了孩子關懷所有人類的價值觀。

── 康娜莉雅・史貝蔓

When I Care About Others

by Cornelia Maude Spelman and illustrated by Kathy Parkinson

Published by arrangement with Albert Whitman & Company
through Bardon-Chinese Media Agency

我的感覺系列 7

我會關心別人

作者｜康娜莉雅・史貝蔓　繪者｜凱西・帕金森　譯者｜蕭富元

責任編輯｜劉握瑜　美術設計｜林家蓁　行銷企劃｜高嘉吟

天下雜誌群創辦人｜殷允芃　董事長兼執行長｜何琦瑜
媒體暨產品事業群
總經理｜游玉雪　副總經理｜林彥傑　總編輯｜林欣靜
行銷總監｜林育菁　副總監｜蔡忠琦　版權主任｜何晨瑋、黃微真

出版者｜親子天下股份有限公司
地址｜台北市 104 建國北路一段 96 號 4 樓
電話｜（02）2509-2800　傳真｜（02）2509-2462　網址｜www.parenting.com.tw
讀者服務專線｜（02）2662-0332　週一～週五：09:00~17:30
讀者服務傳真｜（02）2662-6048　客服信箱｜parenting@cw.com.tw
法律顧問｜台英國際商務法律事務所・羅明通律師
製版印刷｜中原造像股份有限公司
總經銷｜大和圖書有限公司　電話：（02）8990-2588

出版日期｜2005 年 9 月第一版第一次印行
2018 年 2 月第三版第一次印行
2024 年 6 月第三版第十二次印行
定價｜260 元　書號｜BKKP0212P　ISBN｜978-957-9095-18-1（精裝）